Las Lecturas ELI son una gama de publicaciones para lectores de todas las edades, que van desde apasionantes historias actuales a los emocionantes clásicos de siempre. Están divididas en tres colecciones: Lecturas ELI Infantiles y Juveniles, Lecturas ELI Adolescentes y Lecturas ELI Jóvenes y Adultos. Además de contar con un extraordinario esmero editorial, son un sencillo instrumento didáctico cuyo uso se entiende de forma inmediata. Sus llamativas y artísticas ilustraciones atraerán la atención de los lectores y les acompañarán mientras disfrutan leyendo.

Federico García Lorca

Bodas de sangre

Reducción lingüística, actividades y reportajes
de David Tarradas Agea

Ilustraciones de Daniela Tieni

Bodas de sangre
Federico García Lorca
Reducción lingüística, actividades y reportajes de David Tarradas Agea
Control lingüístico y editorial de Carlos Gumpert
Ilustraciones de Daniela Tieni

Lectura ELI
Ideación de la colección y coordinación editorial
Paola Accattoli, Grazia Ancillani, Daniele Garbuglia (Director artístico)

Proyecto gráfico
Sergio Elisei

Compaginación
Diletta Brutti

Director de producción
Francesco Capitano

Créditos fotográficos
Shutterstock

Fuente utilizada 11,5/ 15 puntos Monotipo Dante

© 2013 ELI s.r.l.
P.O. Box 6
62019 Recanati MC
Italia
T +39 071750701
F +39 071977851
info@elionline.com
www.elionline.com

Impreso en Italia por Tecnostampa Recanati −ERA 212.01
ISBN 978-88-536-1600-5

Primera edición Febrero 2013

www.elireaders.com

Sumario

Estos iconos señalan las partes de la historia que han sido grabadas:

empezar ▶   **parar** ■

PERSONAJES PRINCIPALES

LA LUNA

LA MADRE DEL NOVIO   EL PADRE DE LA NOVIA

LA MUERTE

LA NOVIA

EL NOVIO

LEONARDO

7

La obra

1 **Contesta marcando (✓) la opción correcta.**

1 Federico García Lorca pertenece al movimiento literario de...
- **A** ☐ la Generación del 27
- **B** ☐ el Simbolismo
- **C** ☐ el Dadaísmo

2 ¿Qué acontecimiento reúne a todos los miembros de este movimiento?
- **A** ☐ La conmemoración del centenario de la muerte de Lope de Vega
- **B** ☐ La conmemoración del tricentenario de la muerte de Góngora
- **C** ☐ El advenimiento de la República

3 Lorca es un gran autor de teatro pero también destacó como...
- **A** ☐ poeta
- **B** ☐ actor
- **C** ☐ pintor

4 En una época de su vida, Lorca dirigió...
- **A** ☐ un periódico en Argentina
- **B** ☐ un restaurante en Nueva York
- **C** ☐ una compañía de teatro española

5 Lorca murió fusilado poco después de empezar...
- **A** ☐ la Segunda Guerra Mundial
- **B** ☐ la Guerra Civil Española
- **C** ☐ la Revolución Soviética

6 *Bodas de sangre* es una tragedia. ¿En qué consiste este género?
- **A** ☐ Obra cuya acción presenta conflictos de apariencia fatal, que incitan a la compasión y al espanto y que terminan en un final funesto.
- **B** ☐ Obra que tiene una acción en la que predominan los aspectos agradables, alegres o humorísticos y que termina con un desenlace feliz.
- **C** ☐ Obra en que prevalecen acciones y situaciones tensas y pasiones conflictivas, pero sin llegar necesariamente a los grados extremos.

7 La obra está escrita en...

A ☐ prosa

B ☐ verso

C ☐ prosa y verso

8 La obra está inspirada en...

A ☐ *Romeo y Julieta* de William Shakespeare

B ☐ un suceso real publicado en un periódico

C ☐ la vida de los padres del autor

9 No hay ninguna referencia a nombres propios de lugares concretos, pero enseguida comprendemos que la historia transcurre en...

A ☐ el mundo rural

B ☐ el medio burgués

C ☐ un mundo completamente imaginario y futurista

10 Ninguno de los personajes excepto uno, Leonardo, tienen un nombre propio. ¿A qué crees que se debe?

A ☐ Son personajes reales y el autor quiere evitar que los reconozcan.

B ☐ La censura obligó a Lorca a no utilizar nombres.

C ☐ El autor busca que los personajes se vean como arquetipos de las pasiones amorosas más instintivas y primarias y no como seres individualizados.

¡Tienes la palabra!

2 **¿A qué crees que se refiere el título *Bodas de sangre*?**

A ☐ La boda tiene lugar entre personas de la misma familia, de la misma sangre.

B ☐ Por algún motivo u otro va a haber un derramamiento de sangre y antes, durante o después de la boda, alguien va a morir.

C ☐ Se trata de una historia fantástica cuyos personajes son vampiros.

3 **¿Cuáles crees que son los temas tratados en la obra?**

☐ la lucha de clases ☐ la sociedad de consumo ☐ el honor y la honra ☐ el poder del dinero ☐ la muerte ☐ la juventud perdida ☐ el destino ☐ la avaricia ☐ la locura ☐ la venganza ☐ la tierra y el mundo rural ☐ la burguesía

Capítulo 1

Heridas abiertas

▶ 2 **Acto I** (cuadro primero)

Habitación pintada de amarillo.

NOVIO	*Entrando.* Madre. Me voy.
MADRE	¿Adónde?
NOVIO	A la viña★. *Va a salir.*
MADRE	Espera, hijo, el almuerzo.
NOVIO	Déjelo. Voy a comer uvas. Deme la navaja★.
MADRE	¿Para qué?
NOVIO	*Riendo.* Para cortarlas.
MADRE	*Entre dientes y buscándola.* La navaja, la navaja… Malditas sean todas y el bribón★ que las inventó. Todo lo que puede cortar el cuerpo de un hombre.
NOVIO	*Bajando la cabeza.* Calle usted.
MADRE	Primero, tu padre, que me olía a clavel y lo disfruté★ tres años escasos★. Luego, tu hermano. ¿Cómo puede una cosa pequeña como una pistola o una navaja acabar con un hombre, que es un toro? No he de callar nunca. ¿Me puede alguien traer a tu padre y a tu hermano? Y luego, el presidio★. ¿Qué

---

una viña terreno plantado de vides
una navaja cuchillo cuya hoja se guarda doblada
un bribón persona poco honrada y delincuente

disfrutar tener o gozar
tres años escasos apenas tres años
el presidio establecimiento penitenciario

es el presidio? ¡Allí comen, allí fuman! Mis muertos llenos de hierba, sin hablar, hechos polvo; dos hombres que eran dos geranios… Los matadores, en presidio, frescos, viendo los montes… Si hablo es porque no me gusta que lleves navaja.

NOVIO: Madre, en lo que se refiere a…

MADRE: *Seria.* ¡Ah!

NOVIO: ¿Es que le parece mal?

MADRE: No.

NOVIO: ¿Entonces…?

MADRE: No lo sé yo misma. Así, de pronto, siempre me sorprende. Yo sé que la muchacha es buena. ¿Verdad que sí? Modosa*. Trabajadora. Amasa su pan y cose sus faldas, y siento, sin embargo, cuando la nombro, como una pedrada* en la frente. Perdóname. ¿Cuánto tiempo llevas en relaciones*?

NOVIO: Tres años.

MADRE: Tres años. ¿Ella tuvo un novio, no?

NOVIO: No sé. Creo que no. ¿Qué más da*?

MADRE: Hijo, ¿cuándo quieres la pedida*?

NOVIO: *Alegre.* ¿Le parece bien el domingo?

MADRE: Sí, sí. Y a ver si me alegras con seis nietos, o los que te dé la gana*.

MADRE: Sí. Estoy seguro de que usted va a querer a mi novia.

MADRE: La voy a querer.

NOVIO: Me marcho.

MADRE: Anda con Dios.

---

modoso/a honesto/a, modesto/a y respetuoso/a
una pedrada golpe dado con una piedra
llevar en relaciones ser novios
¿Qué más da? ¿Qué importancia puede tener?

la pedida acción de solicitar como esposa a una mujer a sus padres
darle a alguien la gana de hacer algo querer hacer algo con razón o sin ella

Se va el novio. Aparece en la puerta una vecina con pañuelo a la cabeza.

MADRE	Pasa.
VECINA	¿Cómo estás?
MADRE	Ya ves. *En plan confidencial.* ¿Tú conoces a la novia de mi hijo?
VECINA	¡Buena muchacha!
MADRE	Sí, pero...
VECINA	Pero nadie la conoce a fondo. Vive sola con su padre allí, tan lejos, a diez leguas* de la casa más cerca. Pero es buena. Acostumbrada a la soledad.
MADRE	¿Y su madre?
VECINA	A su madre la conocí. Hermosa, pero a mí no me gustó nunca. No quería a su marido.
MADRE	*Fuerte.* Pero ¡cuántas cosas sabéis las gentes!
VECINA	Perdona. No quise ofender*; pero es verdad. Ahora, si fue decente* o no, nadie lo dijo. Ella era orgullosa.
MADRE	A mí me han dicho que la muchacha tuvo novio hace tiempo.
VECINA	Cuando ella tenía quince años. Él se casó ya hace dos años con una prima de ella. Nadie se acuerda del noviazgo*.
MADRE	¿Quién fue el novio?
VECINA	Leonardo, el de los Félix.
MADRE	*Levantándose.* ¡De los Félix, esa familia de matadores!
VECINA	Mujer, ¿qué culpa tiene Leonardo de nada? Él tenía ocho años cuando ocurrieron los hechos.

---

una legua unidad de longitud que equivale a 5 572,7 m
ofender injuriar con palabras o actos
decente honrado/a y que actúa de acuerdo con la moral sexual

el noviazgo tiempo que dura la relación entre dos personas antes de casarse

MADRE	Es verdad… Pero oigo el nombre de los Félix y es lo mismo que llenárseme de cieno* la boca, y tengo que escupir*, tengo que escupir para no matar.
VECINA	¡Cálmate! ¿Qué sacas* con eso? Tú y yo estamos viejas, nos toca callar*.
MADRE	No le voy a decir nada.
VECINA	Me voy, que pronto va a llegar mi gente del campo. Adiós.
MADRE	Adiós. *Al salir se santigua*.

Acto I (cuadro segundo)

Habitación pintada de rosa con cobres y ramos de flores populares. En el centro, una mesa con mantel. Es la mañana. La suegra de Leonardo tiene un niño en brazos. Lo mece. La mujer, en la otra esquina, hace punto de media.

SUEGRA	Nana*, niño, nana
	del caballo grande
	que no quiso el agua.
	El agua era negra
	dentro de las ramas.
	Cuando llega el puente
	se detiene y canta.
	¿Quién va a decir, niño,
	lo que tiene el agua
	con su larga cola
	por su verde sala?

el cieno mezcla de tierra y agua
escupir echar saliva por la boca
sacar conseguir o lograr
nos toca callar. nuestro deber es callar

santiguarse hacer la señal de la cruz
hacer punto de media tejer lana o algodón con agujas
una nana canción que se canta a los niños para dormirlos

MUJER	*Bajo.* Duérmete, clavel, que el caballo no quiere beber.
SUEGRA	Duérmete, rosal, que el caballo se pone a llorar. Las patas heridas, las crines* heladas, dentro de los ojos un puñal* de plata. Bajaban al río. ¡Ay, cómo bajaban! La sangre corría más fuerte que el agua.
MUJER	Duérmete, clavel, que el caballo no quiere beber.
SUEGRA	Duérmete, rosal, que el caballo se pone a llorar.
MUJER	¡Ay caballo grande que no quiso el agua! ¡Ay dolor de nieve, caballo del alba!
SUEGRA	¡No vengas! Detente, cierra la ventana con rama de sueños y sueño de ramas.
MUJER	Mi niño se duerme.
SUEGRA	Mi niño se calla.
MUJER	*Bajito.* Duérmete, clavel, que el caballo no quiere beber.

---

la crin pelos del cuello del caballo   **el puñal** arma blanca con una hoja corta y puntiaguda

MUJER	*Levantándose, y muy bajito.* Duérmete, rosal. que el caballo se pone a llorar.

Entran al niño. Entra Leonardo.

LEONARDO	¿Y el niño?
MUJER	Se durmió. ¿Y tú? ¿Fuiste a casa del herrador*? Ayer me dijeron las vecinas que te vieron al límite de los llanos. ¿Eras tú?
LEONARDO	No. ¿Qué iba a hacer yo allí en aquel secano*?
MUJER	Eso dije. Pero el caballo estaba reventando* de sudar.
LEONARDO	¿Lo viste tú?
MUJER	No. Mi madre. ¿Cómo no viniste a comer?
LEONARDO	Estuve con los medidores del trigo. Siempre entretienen*.
MUJER	Por cierto. ¿Sabes que piden a mi prima?
LEONARDO	¿Cuándo?
MUJER	Mañana. La boda va a ser dentro de un mes. Espero la invitación.
LEONARDO	*Serio.* No lo sabía.
SUEGRA	La madre de él creo que no estaba muy satisfecha con el casamiento.
LEONARDO	Y no sin razón. Ella es de cuidado*.
SUEGRA	Cuando dice eso es porque la conoce. *Con intención.* ¿No ves que fue tres años novia suya?
LEONARDO	Pero la dejé. *A su mujer.* ¿Vas a llorar ahora? ¡Quita! *La aparta bruscamente las manos de la cara.* Vamos a ver al niño. *Entran abrazados.*

Aparece la muchacha, alegre. Entra corriendo.

SUEGRA	*Enérgica, a su hija.* ¡Cállate! *Sale Leonardo.* ¡El niño!

---

un herrador persona que pone herraduras a los caballos
el secano tierra de cultivo que solo recibe agua cuando llueve
reventar cansar muchísimo o dejar exhausto

entretener distraer, retener
de cuidado peligroso/a o de la que hay que guardarse

Entra y vuelve a salir con él en brazos. La mujer ha permanecido de pie, inmóvil.

Las patas heridas,
las crines heladas,
dentro de los ojos
un puñal de plata.
Bajaban al río.
La sangre corría
más fuerte que el agua.

MUJER   *Volviéndose lentamente y como soñando.* Duérmete, clavel,
que el caballo se pone a beber.

SUEGRA   Duérmete, rosal,
que el caballo se pone a llorar.

MUJER   Nana, niño, nana.

SUEGRA   ¡Ay, caballo grande,
que no quiso el agua!

MUJER   *Dramática.* ¡No vengas, no entres!
¡Vete a la montaña!
¡Ay dolor de nieve,
caballo del alba!

SUEGRA   *Llorando.* Mi niño se duerme…

MUJER   *Llorando y acercándose lentamente.* Mi niño descansa…

SUEGRA   Duérmete, clavel,
que el caballo no quiere beber.

MUJER   *Llorando y apoyándose sobre la mesa.* Duérmete, rosal,
que el caballo se pone a llorar. ⬛

Comprensión auditiva

▶ 2 **1** **Escucha de nuevo el Capítulo 1 y di si las siguientes afirmaciones son verdaderas (V) o falsas (F).**

	V	F
1 El novio va a trabajar a la viña.	☐	☐
2 La madre ha preparado el almuerzo a su hijo.	☐	☐
3 El padre y el hermano del novio están en la cárcel.	☐	☐
4 La novia vive sola con su padre.	☐	☐
5 Hace tres años que los novios salen juntos.	☐	☐
6 La novia es familia de la mujer de Leonardo.	☐	☐
7 La madre no soporta oír hablar de la familia Fernández.	☐	☐
8 Hace quince años Leonardo salió con la novia.	☐	☐
9 La madre y la vecina piensan que la novia es una buena chica.	☐	☐
10 La vecina sentía un gran aprecio por la madre de la novia.	☐	☐
11 La mujer de Leonardo y la suegra cantan arias de ópera.	☐	☐
12 Las vecinas han visto a Leonardo cerca del mar.	☐	☐

Gramática

2 **Forma frases utilizando un elemento de cada columna y la forma correcta de "ser" o "estar":**

1 El padre y el hermano		punto de salir al campo.
2 La novia y la mujer de Leonardo	**es**	muertos.
		casado desde hace dos
3 La suegra y la mujer	**está**	años.
4 La casa de la novia	**son**	cantando una nana.
5 El novio	**están**	dentro de un mes.
6 Leonardo		aislada.
7 La boda		primas.

Vocabulario

3 **Busca el intruso en las siguientes series de palabras:**

1 almuerzo | desayuno | noviazgo | cena
2 clavel | uvas | rosa | geranio
3 navaja | pistola | puñal | cuchillo
4 prima | nieto | hermano | vecina

Expresión escrita

4 **Mientras hablan, la madre y la vecina hacen alusión a la madre de la novia sin entrar en detalles. A partir de los pocos datos que se nos dan, ¿puedes imaginar su historia así como algún incidente que pudo tener lugar?**

Puesta en escena

5 **La escena de la nana tiene un fuerte carácter onírico y está cargada de un intenso simbolismo. ¿Qué recursos escénicos pueden reforzar esta dimensión?**

ANTES DE LEER

¡Tienes la palabra!

6 **Ahora que, de una manera u otra, conoces prácticamente a todos los personajes de la historia, ¿qué crees que va a ocurrir en el siguiente capítulo?**

A ☐ La madre va a pedir a la novia.
B ☐ La madre se va a negar a pedir a la novia.
C ☐ El novio y Leonardo van a tener una violenta disputa

Capítulo 2

La pedida de mano

▶ 3 **Acto I** (cuadro tercero)

Interior de la cueva donde vive la novia. Al fondo, una cruz de grandes flores rosa. Las puertas, redondas, con cortinas de encaje★ y lazos rosas. Por las paredes, de material blanco y duro, abanicos★ redondos, jarros azules y pequeños espejos.

CRIADA	Pasen… *Muy afable★, llena de hipocresía humilde. Entran el novio y su madre.* ¿Se quieren sentar? Ahora vienen. *Sale. Quedan madre e hijo sentados, inmóviles como estatuas.*
MADRE	*La madre viste de raso negro y lleva mantilla de encaje.* ¿Traes reloj?
NOVIO	*El novio, de pana★ negra con gran cadena de oro.* Sí. Lo saca y lo mira.
MADRE	Tenemos que volver a tiempo. ¡Qué lejos vive esta gente!
NOVIO	Pero estas tierras son buenas.
MADRE	Buenas, pero demasiado solas. Cuatro horas de camino y ni una casa ni un árbol.
NOVIO	Estos son los secanos.

---

el encaje tejido que forma dibujos, utilizado generalmente como adorno
un abanico instrumento semicircular que se mueve para dar aire

afable agradable, afectuoso y amable
la pana tela gruesa con un dibujo en relieve generalmente

Entra el padre de la novia. Es anciano, con el cabello blanco, reluciente. Lleva la cabeza inclinada. La madre y el novio se levantan y se dan las manos en silencio.

PADRE	¿Mucho tiempo de viaje?
MADRE	Cuatro horas. *Se sientan.*
PADRE	Habéis venido por el camino más largo.
MADRE	Yo estoy ya vieja para andar por las terreras* del río.
PADRE	Buena cosecha de esparto*.
NOVIO	Buena de verdad.
PADRE	En mi tiempo, ni esparto daba esta tierra. Ha sido necesario castigarla y hasta llorarla; pero ahora nos da algo provechoso.
MADRE	No te quejes. Yo no vengo a pedirte nada.
PADRE	*Sonriendo.* Tú eres más rica que yo. Las viñas valen un capital. Lo que siento es que las tierras estén separadas. De poder con veinte pares de bueyes traer tus viñas aquí y ponerlas en la ladera… ¡Qué alegría!
MADRE	¿Para qué?
PADRE	Lo mío es de ella y lo tuyo de él. Por eso. Para verlo todo junto, ¡que junto es una hermosura*!
NOVIO	Y con menos trabajo.
MADRE	Tras mi muerte, vendéis aquello y compráis aquí al lado.
PADRE	Vender, ¡vender! ¡Bah! Comprar hija, comprarlo todo. Con hijos varones*, compraba yo todo este monte hasta la parte del arroyo. Porque no es buena tierra; pero con brazos* se la hace buena. *Pausa.*

---

la terrera trozo de tierra escarpada desprovista de vegetación
el esparto planta de hojas muy resistentes con que se fabrican distintos objetos
la hermosura conjunto de cualidades que provocan en quienes las observan el placer sensorial

un varón persona de sexo masculino
con brazos con el trabajo y el esfuerzo

MADRE	Tú sabes a lo que vengo.
PADRE	Sí.
MADRE	¿Y qué?
PADRE	Me parece bien. Ellos lo han hablado.
MADRE	Mi hijo tiene y puede.
PADRE	Mi hija también.
MADRE	Mi hijo es hermoso. No ha conocido mujer. La honra* más limpia que una sábana puesta al sol.
PADRE	¡Qué te digo de la mía! No habla nunca; suave como la lana, borda toda clase de bordados.
MADRE	Dios bendiga su casa.
PADRE	Que Dios la bendiga.

Aparece la criada con dos bandejas. Una con copas y la otra con dulces.

MADRE	*Al hijo.* ¿Cuándo queréis la boda?
NOVIO	El jueves próximo.
PADRE	Día en que ella cumple veintidós años justos.
MADRE	¡Veintidós años! La edad de mi hijo mayor de estar vivo… ¿Por qué los hombres han inventado las navajas?
PADRE	En eso no hay que pensar.
MADRE	Cada minuto.
PADRE	Entonces el jueves. ¿No es así?
NOVIO	Así es.

Aparece la novia. Trae las manos caídas en actitud modesta y la cabeza baja.

MADRE	Acércate. ¿Estás contenta?
NOVIA	Sí, señora.
PADRE	No debes estar seria. Al fin y al cabo ella va a ser tu madre.

---

la honra dignidad, respetabilidad

NOVIA	Estoy contenta. Cuando he dado el sí* es porque quiero darlo.
MADRE	Naturalmente. *Le coge la barbilla.* Mírame. ¿Tú sabes lo que es casarse, criatura?
NOVIA	*Seria.* Lo sé.
MADRE	Aquí tienes unos regalos.
NOVIA	Gracias.
PADRE	¿No tomáis nada?
MADRE	Yo no quiero. *Al novio.* ¿Y tú?
NOVIO	Yo sí. *Toma un dulce. La novia toma otro.*
PADRE	*Al novio.* ¿Vino?
MADRE	No lo prueba.
PADRE	¡Mejor!

Pausa. Todos están de pie.

NOVIO	*A la novia.* Mañana vengo.
NOVIA	Yo te espero.
NOVIO	Cuando me voy de tu lado siento un despego* grande y así como un nudo en la garganta.
NOVIA	Después de la boda va a desaparecer.
NOVIO	Eso digo yo.
MADRE	Vamos. El sol no espera. *Al padre.* ¿Conformes* en todo?
PADRE	Conformes.
MADRE	*A la criada.* Adiós, mujer.
CRIADA	Vayan ustedes con Dios.

La madre besa a la novia y van saliendo en silencio.

| MADRE | *En la puerta.* Adiós, hija. *La novia contesta con la mano.* |

---

dar el sí aceptar, hablando del matrimonio
el despego falta de afecto o de interés por alguien o por algo

conforme de acuerdo

PADRE	Yo salgo con vosotros. *Salen.*
CRIADA	Que reviento* por ver los regalos.
NOVIA	*Agria*.* Quita.
CRIADA	¡Ay, niña, enséñamelos!
NOVIA	¡Ea, que no!
CRIADA	Por Dios. Está bien. Es que parece que no tienes ganas de casarte…
NOVIA	*Mordiéndose la mano con rabia.* ¡Ay!
CRIADA	Niña, hija, ¿qué te pasa? ¿Sientes dejar tu vida de reina? No pienses en cosas agrias. ¿Tienes motivos? Ninguno. Vamos a ver los regalos. *Coge la caja.*
NOVIA	*Cogiéndola de las muñecas.* Suelta*.
CRIADA	¡Ay, mujer!
NOVIA	Suelta he dicho.
CRIADA	Tienes más fuerza que un hombre.
NOVIA	¿No he hecho yo trabajos de hombre? ¡Qué suerte, ser un hombre!
CRIADA	¡No hay que hablar así!
NOVIA	Calla he dicho. Vamos a hablar de otro asunto.

La luz va desapareciendo de la escena. Pausa larga.

CRIADA	¿Oíste anoche un caballo?
NOVIA	¿A qué hora?
CRIADA	A las tres.
NOVIA	Debía de ser un caballo suelto de la manada*.
CRIADA	No. Llevaba jinete*.
NOVIA	¿Por qué lo sabes?
CRIADA	Porque lo vi. Estuvo parado en tu ventana. Me chocó mucho.

reventar por hacer algo desear mucho hacer algo
agrio/a áspero/a o desagradable
soltar dejar de sujetar algo

una manada conjunto de animales de la misma especie
un jinete persona que monta a caballo

NOVIA	Era mi novio, seguro. Algunas veces ha pasado a esas horas.
CRIADA	No.
NOVIA	¿Tú lo viste?
CRIADA	Sí.
NOVIA	¿Quién era?
CRIADA	Era Leonardo.
NOVIA	*Fuerte.* ¡Mentira! ¡Mentira! ¿A qué viene aquí?
CRIADA	Vino.
NOVIA	¡Cállate! ¡Maldita sea tu lengua! *Se oye el ruido de un caballo.*
CRIADA	*En la ventana.* Mira, asómate*. ¿Era él?
NOVIA	¡Él era!

---

asomarse sacar la cabeza por una abertura para ver

Comprensión lectora

1 **Elige la respuesta más adecuada.**

1 Tanto el padre como la madre poseen...
  A ☐ muchos terrenos
  B ☐ muchas casas y granjas
  C ☐ mucho dinero en el banco

2 La madre pide al padre...
  A ☐ el permiso para cultivar unas tierras
  B ☐ un préstamo
  C ☐ la mano de su hija

3 ¿Qué edad tiene la novia?
  A ☐ 15 años
  B ☐ 21 años
  C ☐ 22 años

4 Los novios se van a casar el próximo...
  A ☐ jueves
  B ☐ sábado
  C ☐ domingo

5 ¿A quién ha visto la criada, la noche anterior por la madrugada, montado a caballo y parado debajo de la ventana de la novia?
  A ☐ al novio
  B ☐ al padre de la novia
  C ☐ a Leonardo

6 ¿Cómo está la novia una vez que la madre y el novio se han ido?
  A ☐ eufórica
  B ☐ de mal humor
  C ☐ serena

Vocabulario

2 **¿Qué animal, mamífero herbívoro, cuadrúpedo, de cuello largo con crin, cola larga, fácilmente domesticable, y que se suele emplear como montura o como animal de carga, se asocia durante toda la obra a Leonardo?** __ __ __ __ __ __ __ __

3 ¿Qué crees que simboliza este animal?

A ☐ la pasión erótica y la muerte
B ☐ la maldad, el pecado, la envidia y la traición
C ☐ la fuerza masculina, el vigor y el dominio

Gramática

4 Encuentra, basándote en el texto, a qué se refieren los complementos directos e indirectos que corresponden a los pronombres señalados en las frases siguientes:

1 Ha sido necesario castigarla y hasta llorarla.
2 Yo no vengo a pedirte nada.
3 No lo prueba.
4 Le coge la barbilla.
5 Lo saca y lo mira.

DELE – Expresión oral

5 La novia dice en un momento dado a la criada que quiere ser un hombre. Ponte en su lugar, e imagina qué cosas puede hacer un hombre que una mujer no puede hacer, en la época y el lugar de la obra.

ANTES DE LEER

¡Tienes la palabra!

6 Al parecer, Leonardo ronda a la novia y va a su casa durante la noche. ¿Cuáles crees que son sus intenciones?

A ☐ Hablar con ella.
B ☐ Hablar con su padre.
C ☐ Espiarla.
D ☐ Raptarla.
E ☐ Matarla porque está celoso.

Capítulo 3

La mañana de la boda

▶ 4 **Acto II** (cuadro primero)

Zaguán* de casa de la novia. Es de noche. La novia sale con enaguas* blancas, llenas de encajes y puntas bordadas, y un corpiño* blanco, con los brazos al aire. La criada lo mismo.

CRIADA	Voy a acabar de peinarte aquí.
NOVIA	*Sentada en una silla baja, se mira en un espejito de mano.* No se puede estar ahí dentro, del calor.
CRIADA	*Peinándola.* ¡Qué hermosa estás! *La besa.*
NOVIA	*Seria.* Sigue peinándome.
CRIADA	*Peinándola.* ¡Dichosa* tú que vas a abrazar a un hombre, que lo vas a besar, que vas a sentir su peso!
NOVIA	Calla.
CRIADA	Y lo mejor es cuando te despiertas y lo sientes al lado y que él te roza* los hombros con su aliento.
NOVIA	*Fuerte.* ¿Te quieres callar?
CRIADA	¡Pero, niña! Una boda, ¿qué es? Es esto y nada más. ¿Son los dulces? ¿Son los ramos de flores? No. Es una cama relumbrante* y un hombre y una mujer.
NOVIA	No se debe decir.

---

el zaguán pieza de una casa inmediata a la puerta principal de entrada
unas enaguas prenda de ropa interior femenina que se lleva debajo de la falda
un corpiño prenda de vestir femenina, muy ajustada y sin mangas, que cubre el tronco

dichoso/a que se siente feliz
rozar tocar ligeramente
relumbrante que brilla o resplandece

CRIADA	Eso es otra cosa. ¡Pero es bien alegre!
NOVIA	O bien amargo*.
CRIADA	El azahar* te lo voy a poner desde aquí hasta aquí, porque así la corona luce* sobre el peinado. *Le prueba un ramo de azahar.*
NOVIA	Déjame.
CRIADA	¿Qué es esto? No son horas de ponerse triste. Trae el azahar. *La novia tira el azahar.* ¡Niña! ¿Qué castigo pides tirando al suelo la corona? ¿Es que no te quieres casar? Dilo. Todavía te puedes arrepentir*. ¿Tú quieres a tu novio?
NOVIA	Lo quiero.
CRIADA	Sí, sí, estoy segura.
NOVIA	Pero este es un paso muy grande.
CRIADA	Hay que darlo. Te voy a poner la corona.
NOVIA	*Se sienta.* Date prisa, que ya deben de ir llegando. *Se levanta.*
CRIADA	*Con entusiasmo.* ¡Despierta, novia la mañana de la boda! ¡Que los ríos del mundo llevan tu corona!
NOVIA	*Sonriente.* Vamos.

Llaman a la puerta.

NOVIA	¡Abre! Deben de ser los primeros convidados.

La criada abre y se sorprende al ver entrar a Leonardo.

CRIADA	¿Tú?
LEONARDO	Yo. ¿No me han convidado*?
CRIADA	Sí.

---

amargo/a de sabor fuerte y desagradable al paladar
el azahar flor blanca y muy aromática, del naranjo y otros cítricos
lucir distinguirse bien y mostrar su belleza

arrepentirse sentir una gran pena por haber hecho algo malo o por no haberlo hecho
convidar pedir a una persona asistir a una celebración

LEONARDO	Por eso vengo.
CRIADA	¿Y tu mujer?
LEONARDO	Yo vine a caballo. Ella se acerca por el camino.
CRIADA	Siéntate. Todavía no se ha levantado nadie.
LEONARDO	¿Y la novia?
CRIADA	Ahora mismo la voy a vestir.
LEONARDO	¡La novia! ¡Seguro que está contenta!
VOCES	*Cantando muy lejos.* ¡Despierta, novia la mañana de la boda!
CRIADA	Es la gente. Vienen lejos todavía.

Aparece la novia todavía en enaguas y con la corona de azahar puesta.

CRIADA	*Fuerte a la novia.* No debes salir así.
NOVIA	¿Qué más da? *Seria.* ¿A qué vienes?
LEONARDO	A ver tu casamiento.
NOVIA	¡También yo vi el tuyo!
LEONARDO	Amarrado* por ti, hecho con tus dos manos.
NOVIA	¡Mentira!
CRIADA	Estas palabras no pueden seguir. Tú no tienes que hablar de lo pasado.
NOVIA	Tienes razón. Yo no debo hablarte siquiera. Vete y espera a tu mujer en la puerta.
LEONARDO	¿Es que tú y yo no podemos hablar?
CRIADA	*Con rabia.* No, no podéis hablar.
LEONARDO	Después de mi casamiento he pensado noche y día de quién era la culpa, y cada vez que pienso sale una culpa nueva que se come a la otra; pero ¡siempre hay culpa!
NOVIA	¡Basta! Yo tengo orgullo, por eso me caso. Y me voy

amarrar unir o sujetar

	a encerrar con mi marido, a quien tengo que querer por encima de todo.
LEONARDO	El orgullo no te va a servir de nada. *Se acerca.*
NOVIA	¡Quédate donde estás!
LEONARDO	Callar y quemarse es el castigo más grande que nos podemos echar encima. ¿De qué me sirvió a mí el orgullo? ¡De nada! ¡Sirvió para echarme fuego encima! Porque tú crees que el tiempo cura y que las paredes tapan, y no es verdad, no es verdad.
NOVIA	*Temblando.* No puedo oírte. No puedo oír tu voz. Y me arrastra★ y sé que me ahogo★, pero voy detrás.
CRIADA	¡Debes irte ahora mismo!
LEONARDO	Descuida★, es la última vez que voy a hablar con ella.
NOVIA	Y sé que estoy loca y sé que tengo el pecho podrido de aguantar, y aquí estoy quieta para oírlo, para verlo mover los brazos.
LEONARDO	No me quedo tranquilo si no te digo estas cosas. Yo me casé. Cásate tú ahora.
CRIADA	*A Leonardo.* ¡Y se casa!
VOCES	*Cantando más cerca.* ¡Despierta, novia la mañana de la boda!
NOVIA	¡Despierta, novia! *Sale corriendo a su cuarto.*
CRIADA	Ya está aquí la gente. *A Leonardo.* Mantente lejos de ella.
LEONARDO	Así lo voy a hacer. *Sale.*

Empieza a amanecer.

MUCHACHA 1 *Entrando.* ¡Despierta, novia

---

arrastrar desplazar con fuerza
ahogarse morir por no poder respirar

descuida no te preocupes

	la mañana de la boda!
	¡Rueda la ronda★
	y en cada balcón una corona.
VOCES	¡Despierta, novia!
CRIADA	Despierta
	con el ramo verde
	del amor florido.
MUCHACHA 2	*Entrando.* Despierta
	con el largo pelo,
	camisa de nieve,
	botas de charol★ y plata
	y jazmines en la frente.
VOCES	¡Despierta, novia!
MUCHACHA 2	La novia
	se ha puesto su blanca corona,
	y el novio
	se la prende★ con lazos de oro.
CRIADA	Por el toronjil★
	la novia no puede dormir.
MUCHACHA 3	*Entrando.* Por el naranjal★
	el novio le ofrece cuchara y mantel.

Entran tres convidados.

MOZO 1	¡Despierta, paloma!
	El alba despeja★
	campanas de sombra.
CONVIDADO	La novia, la blanca novia,
	hoy doncella★,
	mañana señora.

---

una ronda grupo de personas que tocan y cantan por las calles
el charol cuero que lleva un barniz muy brillante
prender fijar algo para evitar que se caiga
un toronjil planta de hojas en forma de corazón y con flores blancas o rosadas

un naranjal terreno plantado de naranjos
despejar desaparecer la oscuridad
una doncella joven que no ha tenido relaciones sexuales

VOCES   Despierta, novia.

MOZO 1   ¡La mañana de la boda!

CONVIDADO   La mañana de la boda
qué galana* vas a estar,
pareces, flor de los montes,
la mujer de un capitán.

PADRE   *Entrando.* La mujer de un capitán
se lleva el novio.
¡Ya viene con sus bueyes por el tesoro!

MUCHACHA 3 El novio
parece la flor del oro.

CRIADA   ¡Ay mi niña dichosa!

MOZO 2   ¡Despierta, novia!

MUCHACHA 2 ¡Sal, novia!

MUCHACHA 1 ¡Sal, sal!

CRIADA   ¡Campanas,
tocad y repicad*!

Aparece la novia. Lleva un traje negro, con caderas y larga cola rodeada de gasas y encajes. Sobre el peinado lleva la corona de azahar. Suenan las guitarras. Las muchachas besan a la novia.

MOZO 1   ¡Aquí está el novio!

NOVIO   ¡Salud!

MUCHACHA 1 *Poniéndole una flor en la oreja.* El novio
parece la flor del oro.

El novio se dirige al lado de la novia. Entran Leonardo y su mujer.

MADRE   *Al padre.* ¿También están esos aquí?

PADRE   Son familia. ¡Hoy es día de perdones!

MADRE   Me aguanto, pero no perdono.

---

galano/a con aspecto atractivo y elegante   **repicar** sonar repetidamente

NOVIA	¡Vámonos pronto a la iglesia!
NOVIO	¿Tienes prisa?
NOVIA	Sí. Estoy deseando ser tu mujer y quedarme sola contigo, y no oír más voz que la tuya.
NOVIO	¡Eso quiero yo!
NOVIA	Y no ver más que tus ojos. Y sentir que me abrazas tan fuerte que no puedo despegarme* de ti;
PADRE	¡Vamos pronto! ¡A coger las caballerías* y los carros! Que ya ha salido el sol.

Empiezan a salir.

MUCHACHA 2 ¡Ya sales de tu casa
　　　　　　 para la iglesia!

MUCHACHA 3 ¡Ay la blanca niña!

Salen. Se oye música. Se oyen voces fuera.

VOCES 　　　 ¡Al salir de tu casa
　　　　　　 para la iglesia,
　　　　　　 acuérdate que sales
　　　　　　 como una estrella!

---

despegarse separarse, dejar de estar cerca de otra cosa o persona

una caballería animal doméstico que se utiliza para transportar cargas o personas

ACTIVIDADES

Comprensión auditiva

▶ 4 **1** **Escucha de nuevo el Capítulo 3 y di si las siguientes afirmaciones son verdaderas (V) o falsas (F).**

		V	F
1	La criada está peinando a la novia en su habitación.	☐	☐
2	La novia está muy contenta y entusiasmada con la boda.	☐	☐
3	Cuando la criada abre la puerta, ya sabía que se trataba de Leonardo.	☐	☐
4	Leonardo no ha sido invitado.	☐	☐
5	Leonardo es el primer invitado en llegar.	☐	☐
6	Leonardo llega acompañado de su mujer.	☐	☐
7	Leonardo acusa a la novia de haberlo empujado a casarse con otra.	☐	☐
8	La novia continúa sintiéndose atraída por Leonardo.	☐	☐
9	Leonardo piensa que el tiempo puede curarlo todo.	☐	☐
10	La novia está locamente enamorada de su novio y por eso se casa con él.	☐	☐
11	La madre piensa que hay que perdonar a la familia de Leonardo el día de la boda.	☐	☐
12	La novia no parece tener mucha prisa por casarse.	☐	☐

Vocabulario

2 **Busca en el texto sinónimos de:**

A boda = _ _ _ _ _ _ _ _ _ _ **D** soportar = _ _ _ _ _ _ _ _ _

B invitados = _ _ _ _ _ _ _ _ _ _ **E** cubren = _ _ _ _ _

C feliz = _ _ _ _ _ _ _

3 **La corona de azahar simboliza, entre otras cosas, la pureza de la mujer. ¿Eres capaz de reconocer el azahar entre las flores siguientes?**

A ☐   **B** ☐   **C** ☐

Gramática

4 **Indica el infinitivo que corresponde a los siguientes verbos en presente señalados en negrita:**

1 **Sé** que estoy loca.

2 No se **puede** estar ahí dentro, del calor.

3 ¿Qué castigo **pides** tirando al suelo la corona?

4 No me quedo tranquilo si no te **digo** estas cosas.

5 ¡Eso **quiero** yo!

6 Es la gente. **Vienen** lejos todavía.

Expresión escrita

5 **Haz una lista con todos los preparativos que hay que hacer para organizar una boda perfecta (música, flores, banquete, detalles, etc.).**

Expresión oral

6 **La novia parece tener mucha prisa por casarse. ¿Tú crees que está enamoradísima o que su prisa esconde otra cosa? Justifica tu respuesta.**

7 **Lee de nuevo el diálogo entre Leonardo y la novia. ¿Piensas que ella sigue enamorada de Leonardo? Justifica tu respuesta apoyándote en el texto.**

ANTES DE LEER

¡Tienes la palabra!

8 **¿Qué crees que va a pasar en el siguiente capítulo?**

A ☐ Los novios se van a casar y no va a haber ningún incidente durante la ceremonia.

B ☐ La novia va a decir "no" ante el cura.

C ☐ La novia no va a llegar nunca al altar porque va a dejar al novio plantado.

Capítulo 4

La fuga

▶ 5 **Acto II** (cuadro segundo)

Exterior de la cueva de la novia en tonos blancos grises y azules fríos.
Grandes chumberas★. Tonos sombríos y plateados. Panorama de
mesetas★. La criada arregla en una mesa las copas y bandejas.

MADRE	*Entrando.* ¡Por fin!
PADRE	¿Somos los primeros?
CRIADA	No. Hace rato llegó Leonardo con su mujer.
PADRE	Ese busca la desgracia. No tiene buena sangre.
MADRE	¿Qué sangre va a tener? La de toda su familia. Mana★ de su bisabuelo, que empezó matando, y sigue en toda la mala ralea★, manejadores de cuchillos y gente de falsa sonrisa.
PADRE	¡Vamos a dejarlo!
MADRE	En la frente de todos ellos yo no veo más que la mano con que mataron a lo que era mío. Tengo en mi pecho un grito siempre puesto de pie. Pero me llevan a los muertos y hay que callar. Luego la gente critica.
PADRE	Hoy no es día para acordarse de esas cosas.

una chumbera planta muy carnosa con paletas ovales y
espinas cuyo fruto es el higo chumbo
una meseta llanura elevada respecto al nivel del mar

manar salir o aparecer en un sitio
la ralea conjunto de antepasados y descendientes
de una persona

MADRE	¡Hoy más! Porque hoy me quedo sola en mi casa.
PADRE	En espera de estar acompañada.
MADRE	Esa es mi ilusión*: los nietos. *Se sientan.*
PADRE	Yo quiero muchos. Esta tierra necesita brazos y estos brazos tienen que ser de los dueños. Hay que sostener una batalla con las malas hierbas, con los cardos*, con los pedruscos* que salen no se sabe dónde. Para hacer brotar* las simientes*. Se necesitan muchos hijos.
MADRE	¡Y alguna hija! ¡Los varones son del viento! Tienen por fuerza que manejar armas. Las niñas no salen jamás a la calle.
PADRE	*Alegre.* Pues niños y niñas entonces. Mi hija es ancha y tu hijo es fuerte.
MADRE	Así espero. *Se levantan.*
PADRE	¡Ya están aquí!

Van entrando invitados en alegres grupos; con ellos, Leonardo y su mujer. Entran los novios cogidos del brazo.

NOVIO	En ninguna boda se vio tanta gente.
MADRE	Ramas enteras de familias han venido.
NOVIO	Hay primos míos que yo no conocía.
PADRE	Mira el baile que tienen formado. *Se va.*
NOVIO	*A la novia.* ¿Te gustó el azahar?
NOVIA	*Mirándole fija.* Sí.
NOVIO	Es todo de cera. Dura siempre.
MUCHACHA 1	*A la novia.* Vamos a quitarte los alfileres*.
NOVIA	*Al novio.* Ahora vuelvo.
MUJER	¡Te deseo mucha felicidad junto a mi prima!

---

la ilusión esperanza de que suceda algo que proporciona alegría y satisfacción
un cardo planta silvestre de hojas grandes y espinosas
un pedrusco piedra grande

brotar comenzar a nacer o a salir
la simiente grano que germina y da origen a una nueva planta
el alfiler aguja de metal para sujetar

NOVIO	Estoy seguro de ser feliz.
MUJER	*A la criada.* ¿Y Leonardo?
CRIADA	No lo vi.
NOVIO	Debe de estar con la gente.
MUJER	¡Voy a ver! *Se va.*
CRIADA	El baile está hermoso.

Durante todo este acto, el fondo es un animado cruce de figuras.

CRIADA	¿Y la niña?
NOVIO	Quitándose la toca*.
CRIADA	¡Ah! *Se va.*
MOZO 1	*Entrando.* ¡Tienes que beber con nosotros!
NOVIO	Estoy esperando a la novia.
MOZO 2	¡Ya la vas a tener en la madrugada!
MOZO 1	¡Que es cuando más gusta!
NOVIO	Vamos.

Salen. Se oye gran algazara. Sale la novia. Por el lado opuesto salen dos muchachas corriendo a encontrarla.*

MUCHACHA 1 ¿A quién diste el primer alfiler, a mí o a esta?

NOVIA	No me acuerdo.

MUCHACHA 1 A mí me lo diste aquí.

MUCHACHA 2 A mí delante del altar*.

NOVIA	*Inquieta y con una gran lucha interior.* No sé nada.

MUCHACHA 1 Es que quiero que tú…

NOVIA	Ni me importa. Tengo mucho que pensar.

MUCHACHA 2 Perdona.

NOVIA	*Ve a Leonardo en el fondo.* Y estos momentos son agitados.

MUCHACHA 1 ¡Nosotras no sabemos nada!

---

una toca prenda de tela de adorno que cubre la cabeza   **el altar** mesa en la que el sacerdote celebra la misa
la algazara ruido producido por voces alegres y festivas

NOVIA	Ya lo vais a saber llegada la hora. Estos pasos son pasos que cuestan mucho.

Las dos muchachas echan a correr. Llega el novio y abraza a la novia por detrás.

NOVIA	*Con gran sobresalto.* ¡Quita!
NOVIO	¿Te asustas de mí?
NOVIA	¡Ay! ¿Eras tú?
NOVIO	¿Quién iba a ser? *Pausa.* Tu padre o yo.
NOVIA	¡Es verdad! *El novio la abraza fuertemente de un modo un poco brusco. Ella dice, seca.* ¡Déjame!
NOVIO	¿Por qué? *La deja.*
NOVIA	Pues… la gente. Pueden vernos.
NOVIO	¿Y qué? Ya es sagrado.
NOVIA	Sí, pero déjame… Luego.
NOVIO	¿Qué tienes? ¡Estás como asustada!
NOVIA	No tengo nada. Quédate conmigo.

Llega la mujer de Leonardo.

MUJER	No quiero interrumpir…
NOVIO	Dime.
MUJER	¿Pasó por aquí mi marido?
NOVIO	No.
MUJER	Es que no lo encuentro y el caballo no está tampoco en el establo.
NOVIO	*Alegre.* Debe de estar dándole una carrera. *Se va la mujer, inquieta.* Estoy deseando el final de todo esto.
NOVIA	Estoy un poco cansada. ¡Tengo como un golpe en las sienes*!

---

la sien parte lateral de la cabeza comprendida entre la frente, la oreja y la mejilla

NOVIO	*Abrazándola.* Vamos un rato al baile. *La besa.*
NOVIA	No. Quiero echarme en la cama un poco.
NOVIO	Yo te voy a hacer compañía.
NOVIA	¡Nunca! ¿Con toda la gente aquí? ¿Qué van a decir? Déjame descansar un momento.
NOVIO	De acuerdo. ¡Pero no te deseo ver así por la noche!
NOVIA	*En la puerta.* Esta noche voy a estar mejor. *Se va.*
NOVIO	¡Que es lo que yo quiero!
MADRE	*Apareciendo.* Hijo.
NOVIO	¿Dónde anda usted?
MADRE	En todo ese ruido. ¿Estás contento?
NOVIO	Sí.
MADRE	¿Y tu mujer?
NOVIO	Descansa un poco. ¿Usted se va a ir?
MADRE	Sí. Yo tengo que estar en mi casa.
NOVIO	Sola.
MADRE	Sola, no. Que tengo la cabeza llena de cosas y de hombres y de luchas.
NOVIO	Pero luchas que ya no son luchas.
MADRE	Con tu mujer procura estar cariñoso, y si la notas presuntuosa o arisca★, acaríciala haciéndole un poco de daño, dale un abrazo fuerte, un mordisco★ y luego un beso suave. Así ella no se disgusta, pero siente que tú eres el macho, el amo, el que manda. Así aprendí de tu padre.
NOVIO	Así voy a hacerlo.
PADRE	*Entrando.* ¿Y mi hija?

---

arisco/a difícil de tratar o poco amable   **un mordisco** acción de clavar los dientes

NOVIO	Está dentro.
MOZO 1	¡Vengan los novios, que vamos a bailar la rueda! *Al novio.* Tú la vas a dirigir.
PADRE	¡Aquí no está!
NOVIO	¿No?
PADRE	Debe de haber salido a la baranda*.
NOVIO	¡Voy a ver! *Va a ver a la baranda. Se oye algazara y guitarras.*
MUCHACHA 1	¡Ya han empezado! *Sale.*
NOVIO	*Vuelve de la baranda.* No está.
MADRE	*Inquieta.* ¿No?

Entran la criada y tres invitados.

PADRE	¿Y adónde puede haber ido? *Dramático.* Pero ¿no está en el baile?
CRIADA	En el baile no está.
PADRE	*Trágico.* ¿Pues dónde está?
NOVIO	*Entrando.* Nada. En ningún sitio.
MADRE	*Al padre.* ¿Qué es esto? ¿Dónde está tu hija?

Entra la mujer de Leonardo.

MUJER	¡Han huido! ¡Han huido! Ella y Leonardo. En el caballo. Iban abrazados*.
PADRE	¡No es verdad! ¡Mi hija, no!
MADRE	¡Tu hija, sí!
NOVIO	¡Vamos detrás! ¿Quién tiene un caballo?
MADRE	¡Anda, hijo mío! ¡Detrás! *Sale con dos mozos.* No. Quédate aquí. Esa gente mata pronto y bien…; pero sí, ¡corre!
PADRE	No debe de ser ella.

---

una baranda plataforma que sobresale de la fachada de un edificio protegida por una barandilla o muro bajo   **abrazar** rodear con los brazos

MADRE   Es planta de mala madre, y él, él también, él. Pero ¡ya es la mujer de mi hijo! Dos bandos. Aquí hay dos bandos. *Entran todos.* Mi familia y la tuya. Salid todos de aquí. Vamos a ayudar a mi hijo. *La gente se separa en dos grupos.* ¡Fuera de aquí! Por todos los caminos. Ha llegado otra vez la hora de la sangre. Dos bandos. Tú con el tuyo y yo con el mío. ¡Atrás!

Comprensión auditiva

▶ 5 **1** **Escucha de nuevo el Capítulo 4 y elige la respuesta más adecuada.**

1 ¿Quién es el primero de la familia de Leonardo que, según la madre, empezó a matar?

  A ☐ el padre

  B ☐ el abuelo

  C ☐ el bisabuelo

2 ¿Quiénes llegan los primeros a la fiesta?

  A ☐ el padre y la madre

  B ☐ los novios

  C ☐ Leonardo y su mujer

3 ¿Qué recuerda la madre precisamente el día de la boda de su hijo?

  A ☐ la muerte de su marido y su hijo

  B ☐ su propia boda

  C ☐ el nacimiento de su hijo

4 ¿Cuál es la mayor ilusión de la madre después del matrimonio de su hijo?

  A ☐ Poder quedarse sola en su casa.

  B ☐ Tener muchos nietos.

  C ☐ Que su hijo y su mujer vivan con ella.

5 ¿Por qué se asusta la novia durante la fiesta?

  A ☐ Ve un ratón.

  B ☐ Cree ver a un fantasma.

  C ☐ Su marido la abraza.

6 La novia sale un momento para...

  A ☐ cambiarse de vestido.

  B ☐ descansar.

  C ☐ ir a recibir a un familiar.

7 Durante la fiesta, la mujer de Leonardo anuncia que...

  A ☐ está embarazada.

  B ☐ quiere divorciarse.

  C ☐ su marido y la novia han huido.

8 ¿Cómo reacciona el novio?

  A ☐ Toma un caballo y sale a perseguirlos.

  B ☐ Se queda con los invitados sin saber qué hacer.

  C ☐ Se va con su madre a su casa.

Gramática

2 **Completa el siguiente texto con la forma del pasado correspondiente (pretérito indefinido o imperfecto) y vas a tener un resumen de la boda, con un comienzo alegre y un final que se presiente trágico:**

La boda (ser) _____ a _____ todo un acontecimiento. (Venir)
_____ b _____ gente de todas partes, incluso parientes que el novio
no (ver) _____ c _____ desde (hacer) _____ d _____ mucho tiempo.
Todos los invitados (divertirse) _____ e _____, la única que no (estar)
_____ f _____ contenta (ser) _____ g _____ la novia. (Parecer)
_____ h _____ perturbada... En un momento dado, cuando (hablar)
_____ i _____ con su marido, (disculparse) _____ j _____
diciendo que le (doler) _____ k _____ la cabeza y (retirarse)
_____ l _____ a su habitación para descansar. De pronto, cuando
los novios (deber) _____ m _____ participar en el baile, todos (buscar)
_____ n _____ a la novia por todas partes pero no la (encontrar)
_____ ñ _____, hasta que la mujer de Leonardo (decir) _____ o _____:
"Mi marido y la novia (huir) _____ p _____ juntos a caballo".
La reacción del novio no (hacerse) _____ q _____ esperar y (salir)
_____ r _____ a caballo para perseguirlos y lavar su honra.

Expresión oral

3 **Historias de rupturas antes y después de la boda siempre han sucedido. Imagina una escena de este tipo utilizando los tiempos del pasado.**

ANTES DE LEER

¡Tienes la palabra!

4 **¿Qué crees que ha pasado? Marca (✓) la respuesta que creas correcta y justifícalo.**

A ☐ Han confundido a la novia y a Leonardo con otras personas.
B ☐ La novia ha ido solamente a dar un paseo a caballo con Leonardo.
C ☐ La novia se ha fugado realmente con Leonardo.

Capítulo 5

La persecución

▶ 6 **Acto III** (cuadro primero)

Bosque. Es de noche. Grandes troncos húmedos. Ambiente oscuro. Salen tres leñadores*.

LEÑADOR 1	¿Y los han encontrado?
LEÑADOR 2	No. Pero los buscan por todas partes.
LEÑADOR 3	Seguro que dan con ellos*.
LEÑADOR 2	¡Chisss!
LEÑADOR 3	¿Qué?
LEÑADOR 2	Parece que se acercan por todos los caminos a la vez.
LEÑADOR 1	Con la luz de la luna los van a ver.
LEÑADOR 2	No sé por qué no los dejan.
LEÑADOR 1	El mundo es grande. Todos pueden vivir en él.
LEÑADOR 3	Pero los van a matar.
LEÑADOR 1	Se estaban engañando uno a otro y al final la sangre pudo más.
LEÑADOR 2	El cuerpo de ella era para él y el de él para ella.
LEÑADOR 3	Los buscan y los van a matar.
LEÑADOR 2	Hay muchas nubes y la luna probablemente no va a salir.

---

un/a leñador/a persona que se dedica a cortar árboles   **dar con alguien** encontrar a alguien

LEÑADOR 3   El novio los va a encontrar con luna o sin luna. Yo
             lo vi salir. Como una estrella furiosa. La cara color
             ceniza. Expresaba el sino* de su casta*.
LEÑADOR 1   Su casta de muertos en mitad de la calle.
LEÑADOR 3   ¿Crees que ellos van a lograr romper el cerco*?
LEÑADOR 2   Es difícil. Hay cuchillos y escopetas a diez leguas a
             la redonda*.
LEÑADOR 3   Él lleva un buen caballo.
LEÑADOR 2   Pero lleva a una mujer.
LEÑADOR 1   Ya estamos cerca.
LEÑADOR 3   Ahora sale la luna. Vamos a darnos prisa.

*Salen. Surge una claridad y aparece la Luna, que es un leñador joven, con
la cara blanca. La escena adquiere un vivo resplandor azul.*

LUNA   ¡No haya sombra ni emboscada*,
             que no puedan escaparse!
             ¡Que quiero entrar en un pecho
             para poder calentarme!
             ¡Un corazón para mí!
             ¡Caliente!, que se derrame*
             por los montes de mi pecho;
             dejadme entrar, ¡ay, dejadme!

*Desaparece entre los troncos y vuelve la escena a su luz oscura. Sale una
anciana descalza totalmente cubierta por paños verde oscuro. Apenas si se
le ve el rostro.*

MENDIGA   Esa luna se va, y ellos se acercan.
             De aquí no pasan. El rumor del río
             va a apagar con el rumor de troncos
             el desgarrado vuelo de los gritos.

---

el sino fuerza desconocida, destino
la casta ascendencia y descendencia de una persona
romper el cerco lograr interrumpir un asedio
a la redonda en torno o alrededor de un punto

una emboscada acción hábil que consiste en esconderse para
atacar por sorpresa
derramarse salir de un recipiente y extenderse

51

Aquí ha de ser, y pronto. Estoy cansada.

¡Esa luna, esa luna! *Impaciente.*

¡Esa luna, esa luna!

Aparece la luna. Vuelve la luz intensa.

LUNA	Ya se acercan.
	Unos por la cañada* y otros por el río.
	Voy a alumbrar* las piedras. ¿Qué necesitas?
MENDIGA	Ilumina el chaleco* y aparta los botones,
	que después las navajas ya saben el camino.
LUNA	¡Allí vienen!

Se va. Queda la escena a oscuras.

MENDIGA	¡Deprisa! Mucha luz. ¿Me has oído?
	¡No pueden escaparse!

Entran el novio y el mozo 1. La mendiga se sienta y se tapa con el manto.

NOVIO	Por aquí.
MOZO 1	No los vas a encontrar.
NOVIO	*Enérgico.* Calla. ¡Claro que los voy a encontrar! Estoy seguro de encontrármelos aquí. ¿Ves este brazo? Pues no es mi brazo. Es el brazo de mi hermano y el de mi padre y el de toda mi familia que está muerta.
MOZO 1	Esto es una caza.
NOVIO	Una caza. La más grande que se puede hacer.

Se va el mozo. El novio tropieza con la mendiga, la Muerte.

MENDIGA	¡Ay!
NOVIO	¿Qué quieres?
MENDIGA	*Siempre quejándose como una mendiga.* Tengo frío.
NOVIO	¿De dónde vienes?
MENDIGA	De allí… de muy lejos.

---

una cañada paso entre dos montañas poco distantes
alumbrar llenar de luz y claridad

un chaleco prenda de vestir sin mangas que cubre el tronco del cuerpo

NOVIO	¿Viste a un hombre y una mujer que corrían montados en un caballo? ¿Han pasado por aquí?
MENDIGA	*Enérgica.* No han pasado; pero están saliendo de la colina. ¿No los oyes?
NOVIO	No.
MENDIGA	*Dramática.* ¡Por allí!

Salen rápidos. Aparecen Leonardo y la novia.

NOVIA	Desde aquí yo me voy a ir sola.
	¡Vete! ¡Quiero que te vuelvas!
LEONARDO	Ya dimos el paso. ¡Calla!
	porque nos persiguen cerca
	y te he de llevar conmigo.
NOVIA	¡Pero ha de ser a la fuerza!
LEONARDO	¿A la fuerza? ¿Quién bajó
	primero las escaleras?
NOVIA	Yo las bajé.
LEONARDO	¿Quién le puso
	al caballo bridas* nuevas?
NOVIA	Yo misma. Verdad.
	¡Te quiero! ¡Te quiero! ¡Aparta!
	Que si matarte pudiera…
LEONARDO	¡Qué vidrios se me clavan en la lengua!
	Porque yo quise olvidar
	y puse un muro de piedra
	entre tu casa y la mía.
	Es verdad. ¿No lo recuerdas?
	Y cuando te vi de lejos
	me eché en los ojos arena.

una brida conjunto formado por el freno, las correas que lo sujetan a la cabeza del caballo y las riendas

Pero montaba a caballo
y el caballo iba a tu puerta.
Que yo no tengo la culpa,
que la culpa es de la tierra
y de ese olor que te sale
de los pechos y las trenzas.

NOVIA
¡Ay, qué sinrazón*! No quiero
contigo cama ni cena,
y no hay minuto del día
que estar contigo no quiera,
y te sigo por el aire
como una brizna* de hierba.
He dejado a un hombre duro
y a toda su descendencia
en la mitad de la boda
y con la corona puesta.
Para ti va a ser el castigo
y no quiero que lo sea.

LEONARDO
Vamos al rincón oscuro,
donde yo siempre te quiera,
que no me importa la gente,
ni el veneno que nos echa. *La abraza fuertemente.*

NOVIA
Y yo voy a dormir a tus pies
para guardar lo que sueñas.
Desnuda, mirando al campo,
en el suelo como una perra., *Dramática.*
¡Porque eso soy! Que te miro
y tu hermosura me quema.

---

la sinrazón acción o cosa ilógica o irracional   **una brizna** porción de materia vegetal

LEONARDO	Se abrasa lumbre* con lumbre.
	¡Vamos! *La arrastra.*
NOVIA	¿Adónde me llevas?
LEONARDO	También yo quiero dejarte
	si pienso como se piensa.
	Pero voy donde tú vas.
	Tú también. Da un paso. Prueba.
	Clavos de luna nos funden
	mi cintura y tus caderas.

Toda esta escena es violenta, llena de gran sensualidad.

NOVIA	¿Oyes?
LEONARDO	Viene gente.
NOVIA	¡Huye!
	Es justo que yo aquí muera
	con los pies dentro del agua,
	y espinas* en la cabeza.
	Y que me lloren las hojas,
	mujer perdida y doncella.
LEONARDO	Cállate. Ya suben. ¡Vamos, digo! Tú delante.
NOVIA	*Vacila**. ¡Los dos juntos!
LEONARDO	*Abrazándola.* ¡Como quieras!
	Si nos separan, va a ser
	porque esté muerto.
NOVIA	Y yo muerta. *Salen abrazados.*

Aparece la luna muy despacio. La escena adquiere una fuerte luz azul. Aparece la mendiga y queda de espaldas. Abre el manto y queda en el centro, como un gran pájaro de alas inmensas. La luna se detiene. ■

---

la lumbre materia combustible encendida
una espina prolongación aguda y afilada que tienen algunas plantas

vacilar decidirse con dificultad

Comprensión auditiva

▶ 6 **1** **Escucha de nuevo el Capítulo 5 y di si las siguientes afirmaciones son verdaderas (V) o falsas (F).**

		V	F
1	Leonardo y la novia se han escondido en el bosque.	☐	☐
2	Como tienen un buen caballo van a poder huir de los perseguidores.	☐	☐
3	El novio quiere vengar la muerte de su familia.	☐	☐
4	Leonardo quiere dejar a la novia y verla volver con su marido.	☐	☐
5	Leonardo quiso olvidar a la novia pero no pudo.	☐	☐
6	La luna desea ver a los amantes descubiertos.	☐	☐
7	La mendiga intenta impedir la muerte de Leonardo y la novia.	☐	☐
8	La novia lucha entre la tradición y lo que se espera de ella y la pasión que siente.	☐	☐
9	Leonardo obligó a la novia a irse con él de su boda.	☐	☐
10	Leonardo decide huir solo.	☐	☐

Vocabulario

2 **Separa en las siguientes palabras del texto en dos listas:**

claridad • quema • frío • calentarme • alumbrar •
oscuro • ilumina • funden • resplandor • estrella •
caliente • sombra • ceniza • lumbre

FUEGO	LUZ

Gramática

3 **Transforma en plural el verbo de las siguientes frases que uno de los leñadores dice a uno de sus compañeros:**

  1 <u>¡Ayúdame</u> a encontrarlos!
  2 <u>Búscalos</u> cerca del río.
  3 <u>Vete</u> por allí, que he oído un ruido y he visto moverse algo.
  4 No hay que hacer ruido, <u>icállate</u>!
  5 Si los encuentras, <u>imátalos</u>!

Expresión oral

4 **Imagina ahora que, al contrario, quieres ayudar a los amantes. Dales los consejos que piensas que los pueden ayudar a escapar de sus perseguidores. Dirígete a ellos tuteándolos en plural.**

Puesta en escena

5 **En esta escena aparecen unos personajes con una dimensión sobrenatural, la luna y la mendiga (que representa la Muerte). ¿Qué recursos escénicos se te ocurre utilizar para acentuar este carácter fantástico? ¿O bien prefieres optar por un enfoque realista de los personajes?**

ANTES DE LEER

¡Tienes la palabra!

6 **En el transcurso de este acto comprendemos que todas las fuerzas se conjuran para un desenlace trágico... ¿Cuál crees que va a ser el final de la obra?**

  A ☐ Los dos amantes van a morir.
  B ☐ El novio va a matar a Leonardo.
  C ☐ El novio y Leonardo van a morir.
  D ☐ Al final, todos se van a reconciliar.

Capítulo 6

La sombra de las navajas

▶ 7 **Acto III** (cuadro segundo)

Habitación blanca con arcos y gruesos muros. A la derecha y a la izquierda, escaleras blancas. Gran arco al fondo y pared del mismo color. El suelo es también de un blanco reluciente. Esta habitación simple debe tener un sentido monumental de iglesia. Dos muchachas vestidas de azul oscuro están devanando* una madeja* roja.

MUCHACHA 1 Madeja, madeja,
              ¿qué quieres hacer?
MUCHACHA 2 Jazmín de vestido,
              cristal de papel.
              Nacer a las cuatro,
              morir a las diez.
              Ser hilo de lana,
              cadena a tus pies
              y nudo que apriete
              amargo laurel.
NIÑA   *Cantando.* ¿Fuisteis a la boda?
MUCHACHA 1 No.
NIÑA   ¡Tampoco fui yo!

---

devanar enrollar un hilo para hacer una bola   **una madeja** hilo recogido en vueltas iguales y grandes

          ¿Qué pasaría
          por el ramo de la oliva?
          ¿Qué pasó
          que nadie volvió?
          ¿Fuiste a la boda?

MUCHACHA 2 Hemos dicho que no.

La niña se va.

MUCHACHA 2 Madeja, madeja,
          ¿qué quieres decir?

MUCHACHA 1 Amante sin habla.
          Novio carmesí*.
          Por la orilla* muda
          tendidos* los vi.

Se va. Aparece la mujer y la suegra de Leonardo. Llegan angustiadas.

MUCHACHA 1 ¿Vienen ya?

SUEGRA   *Agria.* No sabemos.

MUCHACHA 2 ¿Qué contáis de la boda?

MUCHACHA 1 Dime.

SUEGRA   *Seca.* Nada.

MUJER   Quiero volver para saberlo todo.

SUEGRA   *Enérgica.* Tú, a tu casa.
          Valiente y sola en tu casa.
          A envejecer y a llorar.
          Pero la puerta cerrada.
          Nunca. Ni muerto ni vivo.
          Clavaremos las ventanas.
          Y vengan lluvias y noches
          sobre las hierbas amargas.

carmesí color rojo intenso   **tendido/a** puesto/a en posición horizontal
la orilla borde de un río

MUJER	¿Qué ha pasado?
SUEGRA	No importa.
	Échate un velo en la cara.
	Tus hijos son hijos tuyos
	nada más. Sobre la cama
	pon una cruz de ceniza
	donde estuvo su almohada.

Salen.

MENDIGA	*A la puerta.* Un pedazo de pan, muchachas.
MUCHACHA 2	¿Vienes por el camino del arroyo, vieja?
MENDIGA	Por allí vine.
MUCHACHA 1	*Tímida.* ¿Puedo preguntarte?
MENDIGA	Yo los vi. Pronto llegan: dos torrentes
	quietos al fin entre las piedras grandes,
	dos hombres en las patas del caballo.
	Muertos en la hermosura de la noche.
	Muertos sí, muertos.
MUCHACHA 1	¡Calla, vieja, calla!
MENDIGA	Flores rotas los ojos, y sus dientes
	dos puñados de nieve endurecida.
	Los dos cayeron, y la novia vuelve
	teñida* en sangre falda y cabellera.
	Cubiertos con dos mantas ellos vienen
	sobre los hombros de los mozos altos.
	Así fue; nada más. Era lo justo.
	Sobre la flor del oro, sucia arena.

Se va. Las muchachas inclinan la cabeza y rítmicamente van saliendo.

MUCHACHA 1	Sucia arena.

---

teñido/a con un color distinto del que antes tenía

MUCHACHA 2 Sobre la flor del oro.

NIÑA Sobre la flor del oro
traen a los muertos del arroyo.
Morenito el uno,
morenito el otro.
¡Qué ruiseñor* de sombra vuela y gime
sobre la flor del oro!

Se va. Queda la escena sola. Aparece la madre con una vecina. La vecina viene llorando.

MADRE Calla.

VECINA No puedo.

MADRE Calla, he dicho. ¿No hay nadie aquí? Debía contestarme mi hijo. Pero mi hijo es ya un brazado* de flores secas. *Con rabia, a la vecina.* ¿Te quieres callar? No quiero llantos* en esta casa. Vuestras lágrimas son lágrimas de los ojos nada más, y las mías van a brotar cuando yo esté sola, más ardientes que la sangre.

VECINA Vente a mi casa; no te quedes aquí.

MADRE Aquí. Aquí quiero estar. Y tranquila. Ya todos están muertos. A medianoche voy a dormir sin sentir ya terror a la escopeta o el cuchillo. Otras madres se asomarán a las ventanas, azotadas* por la lluvia, para ver el rostro de sus hijos. Yo, no. Quítate las manos de la cara. Hemos de pasar días terribles. No quiero ver a nadie. La tierra y yo. Mi llanto y yo. Y estas cuatro paredes. ¡Ay! ¡Ay!

VECINA Ten caridad de ti misma.

---

un ruiseñor pájaro pequeño que tiene un canto muy melodioso
un brazado cantidad que se puede abarcar con los brazos

el llanto acción de llorar en señal de dolor y tristeza
azotar dar golpes de forma repetida y violenta

MADRE   *Echándose el pelo hacia atrás.* He de estar serena. *Se sienta.* Porque no quiero que las vecinas me vean tan pobre. ¡Tan pobre! Una mujer que no tiene un hijo siquiera del que poder hablar.

Aparece la novia. Viene sin azahar y con un manto negro.

VECINA   *Viendo a la novia, con rabia.* ¿Adónde vas?

NOVIA   Aquí vengo.

MADRE   *A la vecina.* ¿Quién es?

VECINA   ¿No la reconoces?

MADRE   Por eso pregunto quién es. Porque prefiero no reconocerla, para no clavarle mis dientes en el cuello. ¡Víbora*! *Se dirige hacia la novia con ademán fulminante. Se detiene. A la vecina.* ¿La ves? Está ahí, y está llorando, y yo quieta, sin arrancarle los ojos. No me entiendo. ¿Será que yo no quería a mi hijo? Pero, ¿y su honra? ¿Dónde está su honra? *Golpea a la novia. Esta cae al suelo.*

VECINA   ¡Por Dios! *Trata de separarlas.*

NOVIA   *A la vecina.* Déjala; he venido para morir e irme con ellos. *A la madre.* Mátame, pero no con las manos, sino con garfios* de alambre*, con una hoz*, y con fuerza, hasta romperme los huesos. ¡Déjala! Pero sabed que yo soy limpia; quizás loca, mas ningún hombre se ha mirado nunca en la blancura de mis pechos.

MADRE   Calla, calla; ¿qué me importa eso a mí?

NOVIA   ¡Porque yo me fui con el otro, me fui! Yo era una mujer quemada, llena de llagas* por dentro y por

---

una víbora serpiente venenosa
un garfio instrumento curvo y puntiagudo
el alambre hilo flexible y delgado de metal

una hoz herramienta agrícola de forma curva para cortar
una llaga herida abierta o sin cicatrizar

fuera, y tu hijo era un poquito de agua de la que
yo esperaba hijos, tierra, salud; pero el otro era
un río oscuro, lleno de ramas, que acercaba a mí
el rumor de sus juncos y su cantar entre dientes.
Y yo corría con tu hijo que era como un niñito de
agua, frío, y el otro me mandaba cientos de pájaros
que me impedían el andar y que dejaban escarcha*
sobre mis heridas de pobre mujer marchita*, de
muchacha acariciada por el fuego. Yo no quería,
¡óyelo bien! Yo no quería. ¡Tu hijo era mi fin y
yo no lo he engañado, pero el brazo del otro me
arrastró como un golpe de mar*!

Van entrando vecinas.

MADRE   Ella no tiene la culpa, ¡ni yo! *Sarcástica.* ¿Quién la
tiene, pues? ¡Mujer de mal dormir es quien tira una
corona de azahar para buscar un pedazo de cama
calentado por otra mujer!

NOVIA   ¡Calla, calla! Véngate de mí; ¡aquí estoy! Mira
que mi cuello es blando; te cuesta menos trabajo
cortarlo que segar* una dalia de tu huerto. Pero
¡eso no! Honrada, honrada como una niña recién
nacida.

MADRE   Pero ¿qué me importa a mí tu honradez? ¿Qué me
importa tu muerte? ¿Qué me importa a mí nada
de nada? Benditos sean los trigos, porque mis hijos
están debajo de ellos; bendita sea la lluvia, porque
moja la cara de los muertos. Bendito sea Dios, que
nos tiende juntos para descansar.

---

la escarcha gotas de la noche congeladas   **un golpe de mar** ola muy fuerte de gran tamaño
marchito/a sin vigor, sin frescura, o sin vitalidad   **segar** cortar

NOVIA   Déjame llorar contigo.

MADRE   Llora, pero en la puerta.

Entra la niña. La novia queda en la puerta. La madre en el centro de la escena.

MADRE   Girasol* de tu madre,
                espejo de la tierra.
                Que te pongan al pecho
                cruz de amargas adelfas*;
                sábana que te cubra
                de reluciente seda,
                y el agua forme un llanto
                entre tus manos quietas.

MUJER   ¡Ay, qué cuatro muchachos
                llegan con hombros cansados!

NIÑA   Ya los traen.

MADRE   Vecinas: con un cuchillo,
                con un cuchillito,
                en un día señalado, entre las dos y las tres,
                se mataron los dos hombres del amor.
                Con un cuchillo,
                con un cuchillito
                que apenas cabe* en la mano,
                pero que penetra fino
                por las carnes asombradas*.

NOVIA   Y esto es un cuchillo,
                un cuchillito
                que apenas cabe en la mano;
                pez sin escamas* ni río,

---

un girasol planta con flores grandes de color amarillo
una adelfa arbusto ornamental de flores grandes
caber poder entrar dentro de una determinada cosa

asombrado/a muy sorprendido/a
una escama placa que cubre el cuerpo de los peces

para que un día señalado, entre las dos y las tres,
con este cuchillo
se queden dos hombres duros
con los labios amarillos.

MADRE   Y apenas cabe en la mano,
pero que penetra frío
por las carnes asombradas
y allí se para, en el sitio
donde tiembla enmarañada*
la oscura raíz del grito.

Las vecinas, arrodilladas en el suelo, lloran.

---

enmarañado/a confuso/a, complicado/a

Comprensión lectora

1 **Elige la respuesta más adecuada.**

1 ¿Qué cuenta la suegra de la boda?

   A ☐ Solo la parte de la ceremonia.

   B ☐ Todo, en los más mínimos detalles.

   C ☐ Nada en absoluto.

2 La madre de Leonardo dice a su nuera que...

   A ☐ tiene que encontrarse un nuevo marido.

   B ☐ se tiene que encerrar en su casa y aislarse del mundo.

   C ☐ tiene que hacer como si no hubiera pasado nada.

3 La mendiga anuncia a la muchacha que...

   A ☐ una mujer ha muerto.

   B ☐ dos hombres han muerto.

   C ☐ una mujer y un hombre han muerto.

4 La novia va a ver a la madre...

   A ☐ para obtener su perdón.

   B ☐ para acusarla de todo lo ocurrido.

   C ☐ para morir por sus manos.

5 ¿Cómo reacciona la madre ante la muerte de su hijo?

   A ☐ Quiere quedarse sola para llorar tranquila.

   B ☐ Pide a su vecina que se quede con ella.

   C ☐ Quiere suicidarse.

6 ¿Qué le explica la novia a la madre para justificarse?

   A ☐ Ella quería a su hijo pero su amor por Leonardo fue más fuerte.

   B ☐ Nunca quiso a Leonardo porque era muy honrada.

   C ☐ Nunca quiso a su hijo.

7 ¿En qué aspecto insiste la novia?

   A ☐ Quería a su marido.

   B ☐ Es una víctima inocente.

   C ☐ Todavía es virgen.

8 ¿Cómo han muerto los dos hombres?

   A ☐ Con un arma blanca

   B ☐ Con una escopeta

   C ☐ Con sus propias manos

Gramática

2 **Conjuga en imperativo el infinitivo de las siguientes frases que la novia dice a la madre después de la desgracia. La trata de usted:**

1 (Hacer) _____ el favor de escuchar lo que tengo que decirle.

2 (Golpearme) _____ .

3 (Arrancarme) _____ los ojos.

4 (Vengarse) _____ .

5 (Dejarme) _____ llorar con usted pero no me deje sola aquí en la puerta.

Expresión escrita

3 **A lo largo de la obra Lorca anticipa la tragedia con muchos signos y un final no trágico era poco probable, pero, ¿puedes escribir un final feliz para la obra?**

Vocabulario

4 **Busca en el capítulo que acabas de leer las palabras relacionadas con los líquidos que corresponden a la definición. ¿Qué otra aparece en la columna vertical?**

1 Rocío de la noche congelado.

2 Masa de agua salada que cubre la mayor parte de la superficie terrestre.

3 Acción de llorar.

4 Gota que sale del ojo.

5 Corriente continua de agua.

6 Corriente de agua rápida e impetuosa.

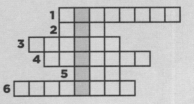

Puesta en escena

5 **La lucha entre los dos hombres no aparece en la obra, solo se evoca. ¿Qué recursos teatrales puedes emplear para poner énfasis en este momento tan importante?**

Federico García Lorca (1898-1936)

Su vida

Federico García Lorca nace en 1898 en Fuente Vaqueros (Granada). Estudia Filosofía y Letras, y se licencia en Derecho en la Universidad de Granada. Allí, en 1917, hace amistad con Manuel de Falla, quien le transmite su amor por el folclore y lo popular. En 1919 se instala en Madrid; vive en la Residencia de Estudiantes hasta 1928, donde conoce, entre otros, al pintor Salvador Dalí y al director de cine Luis Buñuel.

En 1929 se va una temporada a Nueva York. Con la llegada de la Segunda República en 1931, Fernando de los Ríos, el

Ministro de Instrucción Pública, lo nombra codirector de La Barraca, una compañía estatal de teatro universitario, con la que recorre la geografía española representado las obras de los autores clásicos del Siglo de Oro. En 1936, al estallar la Guerra Civil, Colombia y México le proponen el exilio pensando que puede estar en peligro dada su condición de funcionario de la República, pero él rechaza las ofertas y se queda en su casa de Granada. Es denunciado y detenido el 16 de agosto de 1936 en casa de uno de sus

amigos, el poeta Luís Rosales. Los nacionalistas lo fusilan tres días más tarde en el camino que va de Viznar a Alfacar por ser republicano y homosexual (lo que nunca ocultó), y lo entierran en una fosa común anónima.

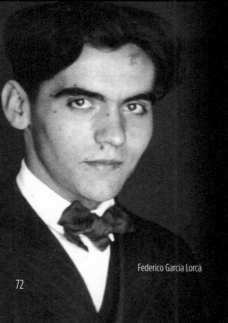

Federico García Lorca

La Memoria Histórica

El 31 de octubre de 2007 el Congreso de los Diputados aprueba la ley 52/2007, conocida como Ley de Memoria Histórica, que reconoce el derecho a la reparación moral y a la recuperación de la memoria personal y familiar de quienes padecieron persecución o violencia durante la Guerra Civil y la Dictadura.

En 2009 y en aplicación de esta ley, se decide abrir la fosa donde supuestamente yacen los restos del poeta. Sin embargo, tras dos meses de trabajo, el equipo de arqueólogos encargados de buscar el cuerpo de Lorca se rinde a la evidencia de que nunca ha habido ningún enterramiento en aquella zona.

Su obra

La poesía

En 1921 publica su primera obra en verso titulada *Libro de poemas*, aunque el éxito llega con su libro *Canciones* (1927). Trabaja al mismo tiempo en otra obra, el *Poema del cante jondo* (1923), en donde aparece por primera vez una de las orientaciones de Lorca, lo popular, que llega a su plena madurez con el *Romancero gitano* (1928), con la omnipresencia del tema del mundo andaluz y de los gitanos, personajes marginales marcados por un destino trágico. De su experiencia en Estados Unidos escribe *Poeta en Nueva York* (1930), en el que intensifica su orientación surrealista. En 1934 publica *Llanto por Ignacio Sánchez Mejías*, una elegía en homenaje al torero sevillano amigo que tanto apoyó a los poetas de la Generación del 27. Para componer *Diván del Tamarit* (1934) se inspira en la poesía árabe. Su obra poética se cierra con *Seis poemas gallegos* (1935) y la serie de once poemas amorosos de gran densidad metafórica y erótica titulada *Sonetos del amor oscuro* (inéditos hasta 1984).

El teatro

El teatro de Lorca es uno de los más importantes del siglo XX. Su primera obra, *El maleficio de la mariposa* (1920), es un fracaso. A partir de 1927, en que se estrena *Mariana Pineda*, comienza el periodo de mayor éxito teatral con sus grandes tragedias, *Bodas de sangre* (1933) y *Yerma* (1934). Siguen sus dramas centrados en los problemas humanos, como son *Doña Rosita la soltera* (1935) –sobre la condición de la solterona– y *La casa de Bernarda Alba* (1936) –sobre el mundo femenino y sus frustraciones en un ambiente opresivo y de represión–, para muchos su obra maestra. *El público* (1930) y *Así que pasen cinco años* (1931) son dramas considerados "irrepresentables", ya que por su carácter surrealista es prácticamente imposible ponerlos en escena. Escribe asimismo algunas farsas y obras para guiñol, tales como *La zapatera prodigiosa* (1935). Entre 1935 y 1936 trabajó en la *Comedia sin título*, obra inacabada que rompe con el esquema tradicional de la representación teatral.

Representación de
La casa de Bernarda Alba

La España de Lorca

De la monarquía a la dictadura

El siglo XIX termina para España con la pérdida de Cuba, Filipinas y Puerto Rico, las últimas colonias. En 1902 se inicia el reinado de Alfonso XIII, durante el cual estalla la I Guerra Mundial (en la que España permanece neutral).

La dictadura de Primo de Rivera (1923-1930) es la consecuencia de la Guerra de Marruecos y la crisis económica de la posguerra. En 1931 se proclama la II República española y el rey se exilia a Roma.

Se constituye un gobierno provisional presidido por Niceto Alcalá-Zamora; tras las elecciones, Manuel Azaña es proclamado Presidente. Es un periodo de importantes reformas que cuentan con el apoyo de los intelectuales.

En 1936 el levantamiento militar del general Franco marca el inicio de una Guerra Civil que termina tres años después con la instauración de la dictadura franquista.

La II República: un sueño de progreso

Durante la II República, se elabora una nueva Constitución que proclama a España como "una república de trabajadores de toda clase", un estado laico y en el que se acepta el principio de autonomía regional. Se establecen por primera vez los mismos derechos para el hombre y la mujer, y estas pueden votar. La separación de la Iglesia y el Estado permite el reconocimiento del matrimonio civil y el divorcio. Sin embargo, la crisis económica mundial de 1929 afecta profundamente la economía española, y el gobierno de Azaña no puede llevar a cabo las reformas esperadas.

La República y la cultura

El país experimenta una verdadera eclosión cultural en el terreno de las artes, sobre todo en la literatura y en el campo de las ideas. La mayoría de los intelectuales colabora en el deseo de difundir la cultura que el Gobierno se ha propuesto. Las Misiones Pedagógicas tienen el objetivo de acercar la cultura a una población analfabeta a través de bibliotecas ambulantes, proyecciones de películas, recitales de poesía, etc. En esta línea se posicionan también algunas compañías de teatro itinerantes como "La Barraca" de Lorca.

En arquitectura destaca la figura de Gaudí, en artes plásticas las de Picasso, Dalí y Miró, en cine la de Buñuel y en música es la época más brillante de la historia española con figuras como Albéniz, Granados y, sobre todo, Falla.

La Generación del 27

Los componentes del grupo

Forman la Generación del 27 principalmente poetas, entre los que sobresalen Jorge Guillén, Pedro Salinas, Rafael Alberti, Federico García Lorca, Dámaso Alonso, Gerardo Diego, Luis Cernuda y Vicente Aleixandre. A ella también pertenecen otros escritores, novelistas y dramaturgos como Max Aub o Fernando Villalón, y otros poetas un poco posteriores como Miguel Hernández. Cabe destacar también el papel aglutinador de la Residencia de Estudiantes de Madrid, en la que no solo estudiaron muchos de los poetas antes nombrados, sino que dio pie a la inclusión en este grupo de artistas como el cineasta Luis Buñuel o el pintor Salvador Dalí.

Es un grupo literario formado fundamentalmente por poetas que aparece en la escena literaria española entre 1925 y 1927. El acontecimiento que los unió (y les dio nombre) fue el homenaje a Luis de Góngora celebrado en el Ateneo de Sevilla en 1927, para conmemorar el tricentenario de la muerte del poeta barroco. Además de la recuperación de Góngora y de la influencia del pensamiento del filósofo José Ortega y Gasset, la Generación del 27 sintió especial admiración por Juan Ramón Jiménez –sobre todo por su idea de la poesía pura–; al mismo tiempo, la influencia del surrealismo y las nuevas vanguardias se aprecia en el uso de la metáfora como figura principal y también de la libertad para el uso de la métrica con un lenguaje cargado de lirismo. Los miembros de este grupo intentan encontrar la belleza a través de la imagen. Manifiestan un gran interés estético por el amor, la muerte, el destino y los temas de raíces populares.

La Residencia de Estudiantes

Fundada en 1910, la Residencia de Estudiantes fue el primer centro cultural de España y una de las experiencias más vivas y fructíferas de creación e intercambio científico y artístico de la Europa de entreguerras. En ella se conocieron Lorca y Dalí y de sus residentes o visitantes asiduos podemos destacar figuras como el cineasta Luis Buñuel, el científico Severo Ochoa, el músico Manuel de Falla, y el filósofo Ortega y Gasset. Fue asimismo un centro de debate y difusión de la vida intelectual europea, y pasaron por ella figuras tales como los físicos Albert Einstein y Marie Curie, el compositor Igor Stravinsky y el arquitecto Le Corbusier, entre muchos otros. Su actividad se vio bruscamente interrumpida en 1936 por la Guerra Civil.

La vida de la obra

Bodas de sangre es una tragedia en tres actos, escrita en verso y en prosa en 1931, con un estilo muy personal, utilizando un diálogo rápido y frases coloquiales. La obra, cuyo tema central es la vida y la muerte, nos sumerge en un mundo de pasiones, celos, deseos frustrados donde dos familias se enfrentan. Se desarrolla en el paisaje andaluz y recoge las costumbres de esta tierra. Se estrenó en Madrid en 1933. Tal fue el éxito, que fue llevada a Argentina y México y se representaron traducciones en Nueva York, París y Moscú en los años siguientes.

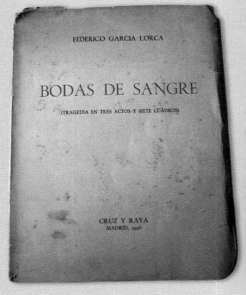

A partir de un suceso real

El 25 de julio de 1928, Lorca y su amigo Santiago Ontañón se encontraban charlando en la Residencia de Estudiantes, cuando se vieron interrumpidos por otro amigo, Diego Burgos, quien entró a gritos señalando un reportaje del periódico *ABC*. Tras su lectura, Lorca exclamó: "*¡La prensa! ¡Leed esta noticia! Es un drama difícil de inventar*". Tres días antes había sido cometido un crimen en un cortijo de Níjar (Almería). Una novia huyó a caballo con su antiguo amante la noche anterior a la boda. El hermano del novio burlado encontró a los fugitivos en el camino y mató a tiros al raptor. El suceso tardó varios días en esclarecerse y la prensa informó puntualmente de las novedades que iban produciéndose. Lorca se sintió de inmediato atraído por el tema y comenzó a germinar en su mente la obra que pone en escena cinco años más tarde.

¿Un mundo de hombres?

A los personajes principales (la madre, el novio, la novia, el padre y Leonardo), se unen otros secundarios como la luna y la muerte (ambos personificados), la suegra de Leonardo y su mujer, los leñadores y mozos, la criada, la vecina y la gente del pueblo, todos procedentes del mundo rural. Aunque ciertos personajes destacan claramente del conjunto, todos ellos son estereotipos; el único en tener un nombre propio es Leonardo, un nombre que alude al rey de la selva, el león, símbolo de sexo y de muerte.

Como es frecuente en la obra lorquiana, los personajes femeninos poseen mayor entidad dramática que los masculinos.

Bodas de sangre llevada a la escena

Lorca y el flamenco

Lorca ha sido uno de los poetas que más ha aportado al flamenco.

El afán del poeta granadino porque no se perdieran las tradiciones populares lo llevó a convocar junto a Manuel de Falla el *I Concurso de Cante Jondo*, celebrado en Granada en junio de 1922. Asimismo, Lorca recopiló canciones populares (tonadillas, bulerías, jaleos, seguidillas, etc.), entre las que se encontraban letras gitanas y flamencas, que reunió en su *Colección de canciones populares antiguas*; en 1931 grabó cinco discos gramofónicos con diez de estas canciones, y el propio Lorca toca el piano, acompañando a Encarnación López "La Argentinita", bailarina y cantante.

Muchos cantaores flamencos han tratado de recrear la fuerza, la pasión y la tragedia de sus versos, pero las adaptaciones más populares siguen siendo hasta ahora las de Camarón con su *Nana del caballo grande* así como el *Romance sonámbulo* de Manzanita. El virtuoso guitarrista Paco de Lucía ha encontrado a menudo su inspiración en la obra lorquiana. *Bodas de sangre* ha sido asimismo uno de los espectáculos más aclamados del bailarín y coreógrafo Antonio Gades.

Carlos Saura y *Bodas de sangre*

En 1981, Carlos Saura adaptó al cine el ballet de Antonio Gades basado en la obra de Lorca. Esta coreografía había sido estrenada en Roma en 1974.

Invitado a uno de los ensayos que Gades preparaba para representar el espectáculo en Madrid, Saura quedó entusiasmado y decidió llevarlo a la pantalla. El cineasta nunca asistió a la representación. Declaró haber querido hacer un documento sobre la creación y transmitir al espectador la fascinación que solo se siente cuando se asiste a los ensayos. La película fue bien recibida por la crítica y los espectadores, y ganó numerosos galardones.

1 **Completa el siguiente texto con las palabras adecuadas para obtener un resumen de la obra que acabas de leer:**

> viuda • casarse • sangre • bosque • lucha •
> indiferencia • honor • ambos • conflicto • celos •
> retrato • matrimonio • tragedia • juntos

Bodas de sangre es una historia llena de pasión, _____ a _____ y deseos no alcanzados que termina en _____ b _____. Lorca realiza un _____ c _____ de la vida rural andaluza de la España de los años treinta. La obra nos muestra un viejo _____ d _____ entre dos familias, la del novio y la de los Félix, a la cual pertenece Leonardo, el cual sigue enamorado de su antigua novia que está a punto de _____ e _____ con otro hombre. Una vez celebrado el _____ f _____, durante la fiesta, Leonardo y la novia se escapan _____ g _____. El novio los persigue por el _____ h _____ con el fin no solo de salvar su _____ i _____ sino también de vengar a su familia. Cuando los encuentra, hay una _____ j _____ entre los dos hombres que culmina con la muerte de _____ k _____. La novia, _____ l _____ y desesperada, visita a la madre del novio con la esperanza de que la mate, pero lo único que va a conseguir de ella va a ser la _____ m _____. El final de la obra va a estar teñido de _____ n _____ como su título premonitorio nos indica.

2 **Clasifica algunos de los símbolos utilizados por Lorca a lo largo de la obra:**

> madeja • nudo • caballo • cruz • laurel • flores secas •
> cadena • cuchillo • corona de azahar • paloma •
> rojo • blanco • clavel

	objetos	animales	flores	colores
pureza				
vida				
muerte				
matrimonio				
dominación				
victoria				

PROGRAMA DE ESTUDIOS

Temas
Amor
Matrimonio
Familia
Honor
Muerte
Destino
Venganza

DESTREZAS
Expresar emociones y sentimientos
Expresar opiniones
Describir personas
Contar experiencias pasadas
Hablar de intenciones futuras
Narrar un evento que ha sucedido
Inventar una historia

CONTENIDO GRAMATICAL
Ser y estar
Los complementos del verbo
El presente de indicativo
Los pasados
El imperativo
Expresiones idiomáticas

LECTURAS ⟨ELI⟩ JÓVENES Y ADULTOS